JN064856

自分の好きな絵をつくりましょう。

言葉を入力すれば６秒で絵が完成します

「Stable Diffusion（ステイブル ディフュージョン）」は
もっとも人気のある画像生成ＡＩです！
無料で、簡単に絵を作ることができます。
この本で様々な絵を作ってみてください！

絵をつくる方法は
とても簡単です

まずはHPを開き、スイッチを
オンにしてみてください

HPは無料で利用でき、すぐにＡＩイラストを生成してくれるので、初めての方に最適です。

[すぐ使える4つのサイト]

Stable Diffusion Onlineと
以下の3つのサイトで作成できます

Stable Diffusion Online

Mage.Space

Dreamstudio

Hugging Face

例えば、HPに
この言葉を入力してみましょう。

01 呪文プロンプトその1

呪文やプロンプトと呼びます。

16k, masterpiece,best A beautiful castle on the shore of the lake and a beautiful starry sky
（Mage.Spaceで作成）

「16k」というプロンプトを入れてみました。
そのあとは湖に建つお城をgoogle翻訳で英語にして入れています。

02 呪文プロンプトその2

high quality, like an anime, Cat sleeps slowly on sofa
worst quality
（Mage.Spaceで作成）

「high quality」という言葉を頭に入れてみました。
こんな絵が完成します。
ゆったり眠っている猫が気持ちよさそうです。

03 呪文プロンプトその3

masterpiece,best quality, 1illustrations from side
A beautiful girl is walking with her dog on the beach at sunset
worst quality depth of field
（Stable Diffusion Online (stablediffusionweb.com) で作成）

「masterpiece,best quality」と入れてみました。

「Stable Diffusion」プロンプトの書き方 5つの基本ルール

覚えておくと便利！
「Stable Diffusion」で好きな絵を描くための
５つの基本ルールがあります！

ルール01 先に書いたプロンプトが優先されます。

プロンプトは先に書いたものを優先して
画像が作成されます。
プロンプトの順番で完成する画像が決まります。
先に書いた言葉の影響が大きいです。

ルール02 単語(トークン)は７５以内にまとめましょう。

７５を超えると「Stable Diffusion」に送信するタイミングがずれ、思い通りの画像にならないことがあります。
「, 」もカウントされるので注意しましょう。

ルール03 重要な部分は(括弧)などで強調しましょう。

HighQuality:1.1を入力することでQualityは1.1倍になります。
プロンプトを選択し、「Ctrl」+「↑」キーでもOKです！

ルール04 強調せずに弱めることも重要です！

HighQuality:0.9を入力することでQualityは0.9倍になります。
プロンプトを選択し、「Ctrl」+「↓」キーでもOKです！

ルール05 単語間に「,」をいれてください

「,」をいれるとAIが単語を判別しやすくなります。

04 呪文プロンプトその4

4k, masterpiece,best quality1,beautiful, (worst quality,low quality:1.4) (depth field),happy wedding ceremony in the garden,full body , from above, oil painting style, happy,warm color,high,bright

(Stable Diffusion Online (stablediffusionweb.com) で作成)

「Stable Diffusion」で、
さあ、絵を描いてみましょう！

ＡＩで好きな絵をつくる！

Stable Diffusion

(ステイブル ディフュージョン)

魔法の言葉、呪文（プロンプト）が満載！
「画像生成ＡＩ」超入門

（著者）生成 AI 研究会

興陽館

同じプロンプトを打っても生成される絵はその度、変わります。
作った絵は保存することをおすすめします。

本書においての操作説明は主にWindows環境の操作になります。

この本を手にとってくださったあなたに

本書「ＡＩで好きな絵をつくる！『Stable Diffusion』」を手にとっていただき、ありがとうございます。

あなたが、心の中で描いている美しいイメージを一瞬で絵にすること、それはきっと胸が躍りワクワクすることかと思います。

そんな想像力を形にすることを可能にするのが「Stable Diffusion」です。

これは生成ＡＩの一つで、とてもリアルな高品質の絵をつくり出すことができます。

本書では、「Stable Diffusion」の基本的な理論から使い方、そして注意点まで、幅広く深い内容を説明していきます。

この本を閉じるとき、あなたはきっと「Stable Diffusion」を使いこなし、自分だけの絵を描く楽しみを知ることでしょう。では、いっしょにＡＩで心から好きな絵を描きましょう。

はじめに
——自由に自分の絵をつくろう
～それが「Stable Diffusion」

こんにちは。あなたがこの本を手にとられたということは、**自分の絵を描きたい、自分のイメージを絵にしたい、自分の頭の中に描いている世界をカタチにしたい、新しい表現に挑戦したい、**という気持ちがあるからだと思います。それならば、あなたが探しているツールがここにあります——その名も、「Stable Diffusion」。

「Stable Diffusion」は、まるで魔法のような画像生成技術です。従来の方法よりも遥かに詳細で現実感のある画像がつくれます。絵を描くのは画家だけではありません。「Stable Diffusion」を使えば、あなたがた一人ひとりが、自分の創造力を自由にカタチに表現することができます。

「Stable Diffusion」を使えば、あなたが入力したテキストをもとに画像を生成することができます。たとえば、「緑色のドラゴン」と入力すれば、あなただけの緑色のドラゴンの画像が生み出されるのです。

これが「Stable Diffusion」のすごさです。

この本は生成AI研究会が企画、構成、AIの「GoogleBard」と「ChatGPT」を中心に制作しました。「Stable Diffusion」という画像生成AIについて文章生成AIが説明していきます。この本は「GoogleBard」が最新の素材やデータを集めてもとの文章を作成し、「ChatGPT」が文章をリライト、原稿整理、追加執筆というカタチで文章生成をしました。

この本は、AI画像生成ツール「Stable Diffusion」を用いて、あなた自身が思い描く絵を生み出すためのガイドブックです。絵画やイラストや美術の専門知識がなくても、言葉を使って絵を描く楽しみを体験いただけます。また、プロンプト集を多く取り揃えましたので、自分だけのオリジナルの作品をすぐにつくりはじめられます。

本書は以下の5つのパートで構成されています。

PART1　6秒の魔法！「Stable Diffusion」で好きな絵をつくる！

このパートでは、「Stable Diffusion」の基本と、自分自身のイメージを絵に変換する方法をご紹介します。

PART2　言葉を打つだけ！ 呪文プロンプトの基本

言葉を使って絵を描く際のキーとなる、プロンプトの使い方を解説します。文字をうつだけで、想像力がカタチになる瞬間を体験してください。

PART3　知っておきたい！「Stable Diffusion」

「Stable Diffusion」には著作権や肖像権などいくつかの問題があります。

知っておきたい問題点や注意点について説明をしていきます。

PART4　もっと活用！「Stable Diffusion」

「Stable Diffusion」のさらなる応用例や、より具体的な作品づくりのヒントを提供します。

これで、自分だけの作品が一層引き立つことでしょう。

PART5　「Stable Diffusion」のこれから！

「Stable Diffusion」が今後どのように発展していくのか、私たちの創造力を刺激し続けるかについて説明していきます。

この本を通じて、あなたがAIと共に芸術的な表現を楽しむ一助となれば何よりです。新たなアイデアが次々と生まれ、個々の感性が輝く場を提供できればと思います。では、いっしょに「Stable Diffusion」の世界へ飛び込んでみましょう！

そして、最後になりますが、我々があなたに伝えたいもっとも重要なメッセージは、"楽しむ"ことです。「Stable Diffusion」を使った創造の過程は、何よりも楽しいものであるべきです。あなたが描きたい絵、表現したい感情や思考、それらすべてが一つひとつ、世界に新たな色を加えることでしょう。

それでは、はじめましょうか。「Stable Diffusion」と共に、あなたの中に眠る絵師の目覚めを楽しみにしています。

生成AI研究会

※本書は2023年7月現在の情報です。
「Stable Diffusion」は常に進化しているので最新の情報をHPなどでご確認ください。

●「StabilityAI」のHP
https://ja.stability.ai

●「Stable Diffusion Online」のHP
https://stablediffusionweb.com

AIで好きな絵をつくる！「Stable Diffusion」 目　次

PART 3

知っておきたい！「Stable Diffusion」

PART 4

もっと活用！「Stable Diffusion」 97

PART 5

「Stable Diffusion」のこれから！ 121

Stable Diffusion の最新バージョン（2023.7.28）
Stable Diffusion XL のサイトです。

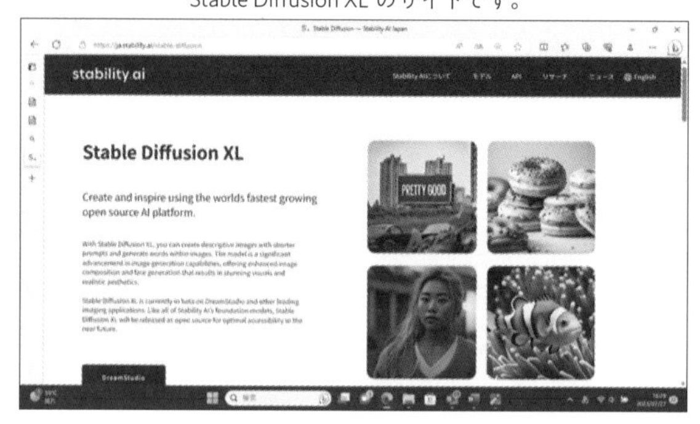

PART 1

6秒の魔法！「Stable Diffusion」で好きな絵をつくる！

「Stable Diffusion」で絵をつくる
――プロの作品を自分でつくる！

たった数秒で自分の好きな絵をつくれる。
自由自在に自分の好きなイラストを描ける。

……本当に便利で素敵なことですよね。

実は絵は簡単につくることができるんです。

2022年にリリースされたこの「Stable Diffusion」という画像生成AIが頼りになります。2023年7月には、最新バージョン「Stable Diffusion XL」がリリースされました。この「Stable Diffusion」を使えば、**たった6秒から20秒**ですばらしい絵を描くことができます。とても簡単に使えます。

まず最初に、「Stable Diffusion」は何なのかを説明しましょう。

それはAI（人工知能）がつくるイラスト作品を作成するすばらしいツールです。

絵を描いたことがなくても、この「Stable Diffusion」を使えばプロのような作品が簡単につくれます。

次に、具体的にどうやって使うのかを見てみましょう。

初めて「Stable Diffusion」を利用する方でも、ここさえ理解していれば大丈夫です。まずは「Stable Diffusion」のウェブサイトを開いて、描きたいイメージを思い浮かべてください。それから、そのイメージを具体的にプロンプト（指示）で伝えます。それが作品のスタート地点になります。

あとは「Stable Diffusion」にお任せするだけです。プロンプトスタートボタンを押すと、AIがあなたのイメージをもとに鮮やかなイラスト作品を生成してくれます。**たった6秒から20秒で絵が描けるんですよ。**

「Stable Diffusion」はすばらしい作品をつくるためのAIです。このツールを使って、自分だけの世界を描いてみてください。今まで思い描くことのできなかった世界が、実際に手の中で現実のものとなっていきます。

「Stable Diffusion Online」のHPです

「Stable Diffusion」は画像生成AIサービス
——敵対的生成ネットワーク（GAN）の技術力

「Stable Diffusion」は画像生成AIの一つです。

画像生成AIとは、ジェネレーティブAIと呼ばれる人工知能の一つで、大量の画像データを学習して新たな画像を生成することができる技術のことを指します。人間の力なしにコンピューターが自動的に大量のデータからそのデータの特徴を引きだすディープラーニングの一種である**敵対的生成ネットワーク(GAN)**などが用いられます。

ここでディープラーニングの一種である**敵対的生成ネットワーク(GAN)**について説明しますね。

まず、GANは二つの重要な役割を持つ「相手同士の対決」を想像してみてください。一方の役割は「芸術家」で、もう一方は「鑑定家」です。

芸術家の目標は、美しい絵を描くことです。彼は絵の技術をどんどん上達させて、すばらしい絵を描くことを目指します。しかし、最初の芸術家はまだ絵を描くことを学びはじめたばかりで、うまく描けないかもしれません。

鑑定家の役割は、芸術家が描いた絵を見て、本物の絵と見分けることです。彼は芸術家の絵を見て、それが本物の絵かどうかを判断します。鑑定家は非常に絵にくわしく、本物の絵と偽物の絵を見分けることが得意です。

ここで、対決がはじまります。芸術家は最初に自分の絵を描きますが、まだうまく描けないかもしれません。それを鑑定家に見せると、鑑定家は「この絵はまだ本物の絵ではありません」と言うかもしれません。芸術家はこのフィードバックを受けて、もっと良い絵を描くために改善を試みます。

次に、芸術家は前回よりもうまく描けるようになった絵を描きます。再びそれを鑑定家に見せると、鑑定家は「これはもっと本物に近い絵だね！」と言うかもしれません。芸術家はこれを励みにして、さらにうまく描けるようになるために努力を重ねます。

この「対決」が何度も繰りかえされ、芸術家は徐々に本物の絵に近づいていきます。そして、最終的にはほぼ完璧な絵を描くことができるようになるのです。

この対決のプロセスが、敵対的生成ネットワーク（GAN）の仕組みです。芸術家が「生成器」と呼ばれ、鑑定家が「識別器」と呼ばれます。生成器はランダムなノイズを入力として受け取り、それを使って偽の絵を生成します。一方、識別器は本物の絵と偽の絵を見分ける役割を担います。

GANの目標は、生成器が本物の絵に近づくように学習させることです。生成器が偽の絵を描き、それを識別器に見せて本物と偽物を判別させます。生成器は識別器のフィードバックを受けて、より本物に近い絵を描くために改善します。そして、このプロセスを繰りかえすことで、生成器はますます上手になり、本物の絵に酷似した絵を描くことができるようになるのです。

これがGANの基本的な仕組みです。芸術家と鑑定家の対決を通じて、生成器は本物に近い絵を描く技術を習得していくのです。GANは、絵だけでなく、音楽や文章など、さまざまな創造的な作品の生成にも利用されることがあります。

話をもどします。画像生成AIとは何なのでしょうか。

画像生成AIは、絵画やイラストなどの芸術作品の生成から、写真の修復やさまざまな物体の3Dモデル生成、さらには仮想的な人物や風景の生成など、多岐にわたる用途で活用しようとします。デザインやマーケティング分野では、AIによる自動生成画像を用いて、視覚的に魅力的な広告や商品イメージが作成されることでしょう。

エンターテイメント業界では、映画やアニメーション、ゲームのキャラクターや背景の生成に利用され、教育分野では教材や問題の生成に活用されることでしょう。医療分野では、患者の病状や治療結果を視覚化するのに用いられ、これにより診断の精度や効率を向上させることができます。

画像生成AIは、機能と精度が日々向上しており、今後はより広範な分野で活用されることが期待されています。しかし同時に、偽造画像の生成など、悪用の可能性も指摘されています。その利用には倫理的な配慮も必要とされています。画像生成AIは、その可能性と課題を含め、今後の社会に大きな影響をおよぼすと考えられます。

画像生成AI「Stable Diffusion」の正体は？

――テキストから画像をつくる！

人工知能（AI）が進化したことで、文章から絵を描けるようになりました。「DALL-E」や「CLIP」みたいな既存のAIもそれができますが、新しいAIの「Stable Diffusion」は、とてもきれいな絵を描けることで話題になっています。**「Stable Diffusion」の特徴は、文章から絵を描き始めて、その途中でちょっとずつざらざらした部分を取り除くことで、だんだんときれいな絵にしていきます。**

この方法を使うと、よりきれいになって、自然な絵を描くことができます。さらに、文章と絵、両方を学んで、文章で言いたいことを絵にうまく表すことができます。人間が文章で伝えたい情報や気持ちを、AIが絵で見せることができるのです。今はまだ「Stable Diffusion」は開発中ですが、たくさんの可能性があります。

こういう新しい技術が生まれると、AIができることがどんどん広がって、新しいことに挑戦できるようになるのです。

また、「Stable Diffusion」は、絵を使ったコミュニケーションに新しい風を吹き込むかもしれません。文章からきれいな絵が描けるようになると、遊びや勉強、デザイン、広告など、いろいろな面で使えるようになります。このような技術が、これから私たちの生活にどんな変化をもたらすのかはまだわかりませんが、とても楽しみですね。

「Stable Diffusion」は、テキストを画像に変換するのが得意ですが、そのやり方はちょっと特殊です。画像をつくるとき、最初は少し雑音が混ざった感じではじまります。その雑音を少しずつ減らしていき、だんだんとクリアな画像に仕上げていきます。そのあと、さらに画像の品質がよくなって、自然な見た目の画像ができあがるというわけなのです。

また、「Stable Diffusion」はテキストだけではなく画像も学習します。だからテキストで書かれている内容を、画像に反映することができるのです。ですから、人間がテキストで伝えたい情報や感情を、AIがビジュアルとして具現化することが可能ということになります。

「Stable Diffusion」は開発途中のAIですが、とても期待されています。AIの技術が進化することで、私たちの生活のいろいろな面で使えるようになり、新しい可能性が開かれていくことになると思います。

テキストから高品質な画像をつくれる能力は、エンターテイメントや教育、デザイン、広告など、いろいろな分野で活用される可能性があります。「Stable Diffusion」のような技術が私たちの生活にどんな影響をもたらすかはまだわかりませんが、その可能性は無限大です。

●キッチンに立つ母と娘

4k,masterpiece,best quality1, beautiful, (worst quality,low quality: 1.4)(depth field), back view of a mother and her lovely daughter cooking in a bright kitchen,full body, from above,looking back, oil painting style, happy,warm color, high,bright

*Stable Diffusion Online*で作成

画像生成AIサービスほかに何がある?

——AIサービスの比較（使用料とクオリティ）

画像生成AIサービスは、近年急速に開発が進んでおり、2022年に多くのサービスが提供されました。ここでは、その中からいくつかの代表的なサービスをご紹介します。

- DALL-E2：OpenAIが開発した画像生成AIサービス。テキストの説明から画像を生成することができます。
- Imagen：Googleが開発した画像生成AIサービス。DALL -E2と同様に、テキストの説明から画像を生成することができます。
- Parti：NVIDIAが開発した画像生成AIサービス。DALL- E2やImagenよりも使いやすく、日本語にも対応しています。
- Midjourney：アメリカにある同名の研究所によって開発された画像生成AIサービス。DALL-E2と同様に、テキストの説明から画像を生成することができます。
- Artbreeder：ユーザーが作成した画像を学習して、新しい画像を生成するAIサービス。

これらの画像生成AIサービスは、いずれもまだ開発途上にあり、クオリティにはばらつきがあります。しかし、今後の開発により、より精度の高い画像を生成するサービスが登場することが期待されています。

画像生成AIサービスの使用料は、サービスによって異なります。無料のサービスもあれば、月額料金や使用料が発生するサービスもあります。また、クオリティの高い画像を生成するには、高額な料金が必要になる場合もあります。

画像生成AIサービスを利用する際には、使用料やクオリティを比較して、自分に最適なサービスを選ぶことが大切です。

「Stable Diffusion」が選ばれる理由
――その強み

「Stable Diffusion」の優れている点は次の通りです。

ディープラーニングの進歩

「Stable Diffusion」は、最新のディープラーニング技術を用いています。これにより、従来の画像生成AIよりも詳細でリアルな画像を生成することができます。

絵柄の自由度

「Stable Diffusion」を使えば、自分の好みに合わせて絵柄を調整することが可能です。フォトリアルからアニメ風まで、幅広いスタイルの画像を生成することができます。

使いやすさ

「Stable Diffusion」はユーザーフレンドリーなインターフェースを持っているため、AIやプログラミングにくわしくない人でも容易に操作することができます。

以上のような点から、「Stable Diffusion」は画像生成AIとして非常に優れた能力を持っているといえます。

「Stable Diffusion Online」ではじめる
——すぐイラストがつくれる！

「Stable Diffusion Online」は、ネットを通じてAIが生成するイラストを楽しむことができるサービスです。無料で利用可能です。未経験の方でも、簡単にAIによるイラスト生成にチャレンジできます。

「Stable Diffusion Online」の公式ウェブサイトを見てみると、**「Stable Diffusion Playground」**と呼ばれるセクションがあり、そこでイラスト生成のキーワードを入力できます。たとえば、「cat sleeping on a bed（ベッドの上で眠る猫）」と入力してみると猫の画像がでてきますよ。

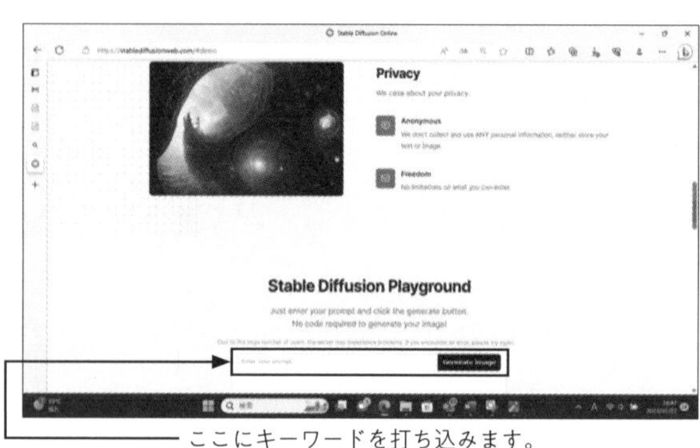

ここにキーワードを打ち込みます。

綺麗な絵をつくる２つの方法
――「Stable Diffusion」のはじめ方

「Stable Diffusion Online」を楽しんでみたら次は本格的に「Stable Diffusion」をはじめてみます。

なお、自分のパソコン（ローカル環境）に「Stable Diffusion」を導入すれば、さらに自由度の高いAIイラスト生成が可能になります。「Stable Diffusion」はオープンソースのプログラムで、誰でも無料で利用可能です。

「Stable Diffusion Online」の機能に比べると、ローカル環境への導入は少し手間がかかります。ただ高品質なイラストを生成したい場合や、他人に見られたくないイラストをつくりたい場合などは、ローカル環境への導入がおすすめです。なお、ローカル環境で利用するには、適切なスペックを持つパソコンが必要です。

「Stable Diffusion」をはじめるのには２つの方法があります。

一つは、**インターネット上のサービスを使う方法**、もう一つは、**自分のパソコン（ローカル環境）で使う方法**です。

それぞれに良い点と注意点がありますので、要点を整理して見ていきましょう。

まず、インターネット上で使う場合の良い点は、いつでもすぐに使い始められること、高性能なパソコンがなくても大丈夫なこと、そしてパソコンの種類（OS）を気にする必要がないということです。しかし、注意点としては、利用できる枚数や内容に制限があったり、一部に課金が必要な場合があることを忘れないでください。

一方、自分のパソコン（ローカル環境）で使う場合の良い点は、無料で制限なく使えること、自分の好きなように設定変更（カスタマイズ）が可能なことです。ただし、注意点としては、初期設定が少し手間がかかることと、ある程度の性能を持つパソコンが必要であるということです。

「どちらを選べばいいのか迷っている」「よくわからない」と感じる方や、初めての方にはインターネット上で気軽に描いてみることをおすすめします。「ああ、AIがつくるイラストはこんな感じなのか」と感じてみることが大切です。ただし、インターネット上での自由度はローカル環境よりもかなり低いので、はじめの一歩として試してみることが大事です。もし、もっと自由に描きたいと感じたら、ご自身のパソコンに「Stable Diffusion」をインストールする必要があります。

インターネット上で「Stable Diffusion」を試すのであれば、「Mage.Space」、「DreamStudio」、「Hugging Face」の3つのウェブサイトがおすすめです。

以下の3つのウェブサイトのHPにプロンプト（言葉）を打てば絵ができます！

● Mage.Space

https://www.mage.space

● DreamStudio

https://beta.dreamstudio.ai

● Hugging Face

https://huggingface.co

これらは無料で利用でき、すぐにAIイラストを生成してくれるので、初めての方にはぴったりです。

本格的にAIイラスト作成に挑戦したいと思ったら、自分のパソコン（ローカル環境）に「Stable Diffusion」をインストールすることをおすすめします。

ブラウザ上のサービスでは手軽にイラストをつくれますが、生成できる枚数や機能に制限があることが多いです。本格的に使いたいと思ったら、課金が必要になることもあります。

一方、ローカル環境にダウンロードすれば、完全無料で無制限に作成でき、自分の思う通りにカスタマイズできます。それが最大のよい点です。

ローカル環境で「Stable Diffusion」を使うためには、以下のようなパソコンの性能が必要ですので、ご確認ください。

・デスクトップ型
・OS：Windows
・CPU：特に重要ではない
・メモリ：16GB以上
・GPU（グラフィックボード）：VRAMが12GB以上
・予算としては、最低でも15万円〜20万円ほどが必要です。

「自分のパソコンは性能を満たしていないけれど、自由に『Stable Diffusion』を使いたい」と思っている方は、パソコンのパーツを追加するか、新しいパソコンを買うことを検討してみてください。

「Stable Diffusion」をローカル環境にダウンロード・インストールするには、以下の3つのステップが必要です。

1．Pythonをダウンロード
2．Gitをダウンロード
3．Web UI（AUTOMATIC1111）をダウンロード

知らないツールばかりで難しそうと思うかもしれませんが、順番にインターネットからダウンロードするだけなので、パソコンにくわしくなくても大丈夫です。それぞれのステップについては別の記事でくわしく解説していますので、ぜひ参考にしてみてください。

もし「Stable Diffusion」のWeb UIを日本語化したいと思ったら、有志が作った拡張機能を使ってみてくださ

い。ただし、日本人でも英語のまま使っている方も多いので、慣れてしまえばどちらでも大丈夫です。日本語化するかどうかは、あなたの好みによります。

●コンサート会場のオーケストラ

4k,masterpiece,best quality1, beautiful, (worst quality,low quality:1.4)(depth field), distant view of the orchestra at the concert venue,full body , from above,looking back, oil painting style, happy,warm color, high,bright

*Stable Diffusion Online*で作成

「Stable Diffusion」の使い方と操作方法
——基本的な使い方

ここからは、「Stable Diffusion」の基本的な使い方について解説していきます。大きく分けて次の3ステップで操作します。

1. 呪文プロンプト(命令文)の入力
2. イラストの生成
3. 生成結果の保存

1. 呪文プロンプト(命令文)の入力

まずは呪文プロンプト(命令文)を入力します。これがそのまま生成されるイラストの内容となります。

たとえば、"a dog in the park"と入力すれば、公園で遊ぶ犬のイラストが生成されます。細かい指定が可能なため、"a black dog running in the park at sunset"といった具体的なプロンプトも試してみてください。

ただし、あまりにも複雑なプロンプトはAIには理解できないこともあります。そのため、はじめての方はシンプルなプロンプトからはじめてみましょう。

2．イラストの生成

プロンプトを入力したら、次は「Generate」ボタンをクリックします。これでAIがイラストを生成する作業がはじまります。

通常は数秒から数十秒程度で生成が完了しますが、ネットワーク環境や使用しているサービスによってはもう少し時間がかかることもあります。

3．生成結果の保存

イラストが生成されたら、結果を保存します。保存方法は使用しているサービスにより異なりますが、基本的には右クリックして「画像を保存する」を選択すればOKです。

以上が「Stable Diffusion」の基本的な使い方です。簡単な操作で自由にイラストがつくれるのが大きな魅力です。

「Stable Diffusion」の応用：設定を変えて自由自在にイラスト生成

「Stable Diffusion」の基本的な使い方をマスターしたら、

次は設定を変えて自由自在にイラストを生成してみましょう。

イラストの「質」や「スタイル」を変更することができ、自分の思い通りの作品をつくるためのコツをつかむことができます。

とくに"temperature"や"steps"といった設定項目は、イラスト生成の結果に大きな影響を与えます。

たとえば、"temperature"を上げると、生成されるイラストはよりアブストラクトでユニークなものになります。逆に、"temperature"を下げると、よりリアルで具体的なイラストが生成されます。

また、"steps"は生成する際の計算回数を表しています。これを増やすと、より詳細なイラストが生成されますが、生成に時間がかかります。逆に、"steps"を減らすと、計算は早く終わりますが、イラストの質は低下します。

これらの設定を変えることで、自分だけのオリジナルなイラストをつくることが可能になります。あなたもぜひ試してみてください。

AIの力で誰でも簡単にイラストをつくれるのが、「Stable Diffusion」の魅力です。無料で利用でき、初心者でもすぐに楽しむことができます。

「Stable Diffusion」の使い方

インターネットで「Stable Diffusion Online」を検索。
サイトを開いてみる。

「Get Started for Free」をクリック

「Enter your prompt」に
生成したい画像のプロンプトを入力。

8k, masterpiece,best quality1,beautiful,
(high quality:1.1) (depth field),a black dog running in the park at sunset,full body, from above, oil painting style, happy,warm color,high,bright

「Generate imege」をクリック

「Stable Diffusion」では一度に4種類の画像が生成される。

画像が
保存できた！

画像の上にマウスを置き、右クリックで
「名前を付けて画像を保存」を選ぶ。

PART 2

言葉を打つだけ！
呪文プロンプトの基本

呪文プロンプトの書き方
5つの基本ルール！
――ここがポイント！

「Stable Diffusion」の使い方はとても簡単です。

「Stable Diffusion」のサイトを開いて文字（英文字）を打ち込むだけです。

一文字打ち込めばすぐに絵が生成されます。

そのうえで、文字の打ち込み方にはルールがあります。

このルールを知って文字を打ち込めば思い通りの絵をつくることができます。

「Stable Diffusion」でマジックワード（プロンプト）を作成する際に重要な5つの基本ルールを説明します。

1．先に書いたものが優先される
2．単語（トークン）の数は75を超えないようにする
3．括弧などを使って重要な部分に重み付けをする
4．時折、意味を薄めることも必要
5．単語の間に「,」を入れる

くわしく見ていきましょう。

1. 先に書いたものが優先される

「Stable Diffusion」では、先に入力したマジックワードが優先的に考慮されます。順番を変えると、優先度が変わり、結果的に出力される画像も変わることがあります。

一般的には、以下のような順序でマジックワードを書くことが多いです。

①全体のイメージ
②登場するキャラクター
③衣装やヘアスタイル
④構図

しかし、この順序に固執する必要はありません。重要な部分や、うまく表現されない部分を先に書くといった工夫が役立つこともあります。

2. 単語（トークン）の数は75を超えないようにする

「Stable Diffusion」では、マジックワードの単語数（トークン数）は、基本的に75以下に制限することを推奨しています。

トークンとは何かというと、大まかにいうと「単語」のことを指します。「Stable Diffusion」では、「トークン」という単位でマジックワードが数えられます。たとえば、「**masterpiece,1 girl,solo**」というマジックワードでは、「**masterpiece**」「**,**」「**1**」「**girl**」「**,**」「**solo**」の6つがトークンとして数えられます。

英単語や数字だけでなく、カンマ「,」もトークンとして数えられるので注意が必要です。

もしトークンが75を超える場合でも、入力自体は可能ですが、その取り扱いはやや複雑になります。

「Stable Diffusion」では、75トークンを1単位として扱います。つまり、75トークンを超える長文のマジックワードが入力された場合、それは次のように分割されて「Stable Diffusion」に送信されます。

1回目：1～75トークン
2回目：76～150トークン
3回目：151～225トークン
以下続きます。

これにより、たとえば、「black hair」の「black」が75トークン目、そして「hair」が76トークン目である場合、それらはそれぞれ別のタイミングで送信され、結果として期待した出力が得られない可能性があります。

このような問題を避けるためにも、初心者の方はできるだけ75トークン以内でマジックワードを入力するようにしましょう。

3. 括弧などを使って重要な部分に重み付けをする

とくに重要なマジックワードや、うまく反映されにくいマジックワードに対しては、括弧を使って「ここはとくに重要だよ」と示すことも大切です。

たとえば、「(masterpiece:1.1)」のように書けば、「master piece」に対する重要度が普通の1.1倍になります。

一方で、括弧を重ねるような強調の方法は、認識エラーが発生する可能性があるため、推奨しません。

マジックワードを強調する方法として、もっと簡単なものもあります。

①「Stable Diffusion」のプロンプト欄で強調したいマジックワードを選択
②Ctrl＋↑を押す

これをおこなうと、強調の度合いが1.1、1.2、1.3とあがっていきます。

4. 時折、意味を薄めることも必要

ある一部を強調することを覚えたら、ついついすべてを強調したくなるかもしれません。しかし、その結果として望む絵が得られないこともあります。

そんな時は、それほど重要でないマジックワードや、簡単に反映されるマジックワードを薄くすることが有効です。

たとえば、「(masterpiece:0.8)」のように書くと、そのマジックワードの影響力が通常の0.8倍になります。

また、次の手順でもOKです。

①「Stable Diffusion」のプロンプト欄で強調したくないマジックワードを選択

②Ctrl＋↓を押す

これにより、強調の度合いが徐々に減っていきます。

これらの方法を活用して、本当に重要な部分が「Stable Diffusion」に適切に伝わるようにしましょう。

『masterpiece』『best quality』のようなイラスト全体の品質に関わるトークンは、最初に書いている方が多い印象です。

●黒い長い髪の学生の女の子

masterpiece,best quality,1 girl, solo,cute face,long black hair,reading a book,school uniform, classroom, cowboy shot,daylight

Stable Diffusion Onlineで作成

「worst quality」「low quality」はイラストの品質低下を防ぐトークンです。つねに書いておくのがおすすめです。

「depth of field」などはイラストのピンボケを防ぐもの。これによりボヤっとしたイラストになることを予防できます。

ほかにも多くの「ネガティブプロンプト」がありますが、最初は上記のキーワードを基本に追加していくと良いでしょう。また、セクシーなイラストになるのを防ぎたい場合は、「NSFW」をつけておきましょう。

もし、たくさんの「ネガティブプロンプト」を書くのが面倒な方は、**「EasyNegative」**という拡張機能を使うこともできます。

5. 単語の間に「，」を入れる

プロンプトを打ち込むとき、「，」を入れるとAIがその単語を判別しやすくなります。

●羽を広げた孔雀

4k,masterpiece,best quality1, beautiful, (worst quality,low quality: 1.4)(depth field),beautiful peacock spreading their wings ,full body , oil painting style, happy,warm color, high,bright

*Stable Diffusion Online*で作成

「Stable Diffusion」の呪文プロンプト、7つの要素
——これで決まる！

「Stable Diffusion」は、テキストの説明から画像を生成するAIの一種です。「Stable Diffusion」を活用する際には、テキストの説明を**「呪文プロンプト」**と呼びます。呪文プロンプトは、「Stable Diffusion」にどのような画像を生成してほしいかを伝える重要な要素です。

「Stable Diffusion」の呪文プロンプトは、次の7つの要素で構成されています。

主題：画像の主題を指定します。
視点：画像の視点を指定します。
スタイル：画像のスタイルを指定します。
感情：画像の感情を指定します。
色合い：画像の色合いを指定します。
コントラスト：画像のコントラストを指定します。
明るさ：画像の明るさを指定します。

これらの要素を組み合わせることで、「Stable Diffu

sion」に自分のイメージに近い画像を生成してもらうことができます。

「Stable Diffusion」の呪文プロンプトの例をあげてみます。

主題：猫
視点：上から見下ろす視点
スタイル：油絵風
感情：幸せ
色合い：暖色系
コントラスト：高い
明るさ：明るい

●明るい猫の画像

masterpiece,best quality1,cat,perspective,from above,oilpainting style, happy,warm color,high,bright

*Stable Diffusion Online*で作成

この呪文プロンプトにより、上から見下ろした視点で、油絵風の、幸せな表情の、暖色系の、コントラストの高い、明るい猫の画像が生成されます。

「Stable Diffusion」の呪文プロンプトは、自由に組み合わせて使用することができます。自分のイメージに近い画像を生成するためには、呪文プロンプトを工夫して使用することが重要です。

●自転車に乗っている人（「worst quality, low quality:1.4」と入力して生成）

worst quality, low quality:1.4, a person riding a bicycle

*Stable Diffusion Online*で作成

●自転車に乗っている人（「depth of field, bokeh,burry:1.4」と入力して生成）

depth of field,bokeh,burry:1.4, a person riding a bicycle

*Stable Diffusion Online*で作成

これがプロンプトの7つの構成

- 先に書いたものより優先順位が決まるが、決まった順番はない。
- この７つに限定はされない。７つすべてを使用してもよいし、それ以上それ以下でもよい。
- 一般的に品質を一番目に書くことが多い。

主題・視点だけでも作成可能！

コントラスト（品質など）
[高い]

主題（被写体）
[猫]

視点（構図）
[上から見下ろす視点]

明るさ（照明、フィルタなど）
[明るい]

上から見下ろした視点で、油絵風の、幸せそうな表情の、暖色系の、コントラストの高い、明るい猫の画像が完成。

スタイル
[油絵風]

色合い
[暖色系]

感情（表情、その他の追加要素）
[幸せ]

英語で書く！
——呪文プロンプトは英語が一番！

「Stable Diffusion」を初めて使う人は何をどのようにすればよいのでしょうか。

まず、「Stable Diffusion」を使用するためには、プロンプトを英語で入力することが推奨されます。なぜなら、このAIは開発段階で、まだ完全に日本語を理解できないからです。思い通りの画像を生成するためには、正確な英語での指示が不可欠です。

プロンプトを作成する際、「Google翻訳」などの自動翻訳ツールを使用すると便利です。英語を自分で書ける人は自分で書いてみましょう。

英語が苦手な人はネットの自動翻訳で英語に変換してから貼っていってください。

そして、よいプロンプトをつくるためのヒントは次の通りです。まず、具体的で肯定的な表現を選ぶことが重要です。たとえば、「明るい太陽の下で咲く花」のような**明確なイメージを想起させるプロンプト**が理想的です。また、複数のキーワードを組み合わせると、より具体的な結果を得られます。

　最後に、すぐに完璧な結果が得られないことを心配する必要はありません。試行錯誤は学習の一部です。プロンプトを何度も調整して、自分の理想の画像を生成できるようになるまで、ぜひ挑戦し続けてください。

●明るい太陽の下で咲く花

masterpiece,best quality1,flowers blooming in the bright sun, from above, oilpainting style, happy,warm color, high,bright

Stable Diffusion Onlineで作成

呪文プロンプトが9割！
——これで思うままの絵ができる！

「Stable Diffusion」で効果的なプロンプトは、具体的なものです。

たとえば、「高画質の風景画」というプロンプトよりも、「富士山の絵」や「夕日が沈む海の絵」などのプロンプトのほうが、より効果的です。

また、プロンプトは、できるだけ長く、詳細に書くようにしてください。より多くの情報をプロンプトに含めれば含めるほど、「Stable Diffusion」はより良い結果を生成することができます。

「Stable Diffusion」は、まだ開発途上ではありますが、さまざまな可能性を秘めた新しい技術です。これらのヒントを参考に、「Stable Diffusion」を使って、あなただけのユニークな作品をつくってみてください。

●富士山の絵

Mt.Fuji,painting
*Stable Diffusion Online*で作成

●夕陽が沈む海の絵

sunset,sea,painting
*Stable Diffusion Online*で作成

この言葉（プロンプト）で、高品質な絵になる！
――ハイ・クオリティ！

さて、イラスト全体のクオリティを決める重要な呪文をいくつか紹介します。

たとえば、「masterpiece」や「best quality」は、とても人気がある言葉です。

ただ、これらの呪文は一つだけでは効果があまりないため、いろいろな呪文を組み合わせてイラストのクオリティを上げていきましょう！　ここに一部をあげてみますね。

「masterpiece」これで君のイラストが傑作に！
「best quality」これなら最高品質のイラストが描けるよ。
「high quality」高品質なイラストを描きたいならこれ！
「exquisite」これで君のイラストはこの上なくすばらしいものに！
「beautiful」これなら美しいイラストが手に入るよ。

イラストを高画質・高解像度にするための呪文（プロンプト）とその効果です。

「4k」これで4K画質風のイラストを作成！
「8k」これで8K画質風のイラストを作成！
「16k」これで16K画質風のイラストを作成！
「highres」これで高解像度のイラストを作成！
「absurdres」これで非常に高解像度のイラストを作成！

これらの呪文を使うことで、イラストの画質や解像度を向上させることができます。

イラストの品質を向上させるためには、複数のテクニックを組み合わせて使用することが有効です。一つだけの手法では、思うような品質向上は困難となることが多いです。

上記の言葉を活用し、さらにネガティブプロンプトを併用することで、より高品質なイラストを生成しましょう。

●散歩する犬１

masterpiece,walking dog,from above,watercolor style,happy,warmcolor,high,bright

Stable Diffusion Online で作成

●散歩する犬２

masterpiece,walking dog,from above,watercolor style,happy,warmcolor,high,bright

Stable Diffusion Online で作成

●散歩する犬４k

4k,walking dog,from above,watercolor style,happy,warmcolor,high,bright

Stable Diffusion Online で作成

●散歩する犬8k

8k,walking dog,from above,watercolor style,happy,warmcolor,high,bright

Stable Diffusion Online で作成

この言葉（プロンプト）で、アングル・構図が決まる！
——絵が決まる！

「dutch angle」カメラを傾けた絵

「from above」上から見下ろす視点

「from below」下から見上げる視点

「from behind」キャラクターの背中側からの視点

「from side」キャラクターの横顔からの視点

「upside-down」上下逆転した視点

「close-up」特定の部位のクローズアップ映像

「portrait」肩と顔が写る映像

「upper body」上半身が写る映像

「cowboy shot」太ももから上が写る映像

「lower body」下半身が写る映像

「full body」全身が写る映像

「wide shot」遠景が写る映像

「very wide shot」超遠景が写る映像

●可愛らしい少女

masterpiece,best quality1,beautiful,(worst quality,low quality:1.4)(depth field), pretty little girl,full body, from above, oilpainting style,happy,warm color,high,bright

*Stable Diffusion Online*で作成

●和服を着た日本の女性

masterpiece,best quality1,beautiful,(worst quality,low quality:1.4)(depth field), Japanese woman in kimono,full body, from below, oilpainting style, happy,warmcolor, high,bright

*Stable Diffusion Online*で作成

●高齢の男性

masterpiece,best quality1,beautiful,(worst quality,low quality:1.4)(depth field), old man face,portrait, from below, oilpainting style, happy,warm color, high,bright

*Stable Diffusion Online*で作成

●小川を見る少年

masterpiece,best quality1,beautiful,(worst quality,low quality:1.4)(depth field), boy looking at stream,full body, looking down, from above, oilpainting style, happy,warm color,high,bright

*Stable Diffusion Online*で作成

この言葉（プロンプト）で、視線が決まる！

——目線ばっちり

「looking at viewer」（視聴者を見ている）：キャラクターが正面（カメラ）を見つめています。

「looking back」（後ろを見ている）：キャラクターが後ろを振り向いています。

「looking away」（見ていない）：キャラクターが他の場所を見ています（こちらを見ていません）。

「looking down」（下を見ている）：キャラクターが何かを見下ろしています。

「looking up」（上を見ている）：キャラクターが何かを見上げている、または上目づかいで見ています。

「looking ahead」（前を見ている）：キャラクターがまっすぐ前を見つめています。

「looking to the side」（横を見ている）：キャラクターが横を向いています。

●バイオリンを持つ女性

masterpiece,best quality1,beautiful, (worst quality,low quality:1.4)(depth field),young beautiful woman holding a violin bow with her right hand and playing,upper body,looking down, from above, oilpainting style, happy,warm color,high,bright

*Stable Diffusion Online*で作成

呪文プロンプト・キーワード、どう組み立てる？
——思いどおりの絵をつくり出す！

思い通りの絵をつくるには言葉をどう組み立てるかが重要です。

「Stable Diffusion」の技術を効果的に使用するには、プロンプトと呼ばれるキーワードの正しい組み合わせが必要です。ここでは「Stable Diffusion」を活用し、あなたが思い描く画像を生みだすためのガイドを提供します。

まず最初に、具体的なイメージを頭に描くことが重要です。何を描きたいのか、どんな色合いや形状、光の強さを希望するのかといった詳細をしっかりと思い描いてください。

次に、肯定的な言葉の使用を心がけましょう。あなたが望まない結果を防ぐために「〜ない」といった否定形での表現を避け、「〜する」など肯定形で具体的に希望する結果を指定するようにしましょう。

さらに、複数のキーワードを組み合わせることを推奨します。単一のキーワードでは思い通りの画像を生成することが難しいこともあります。複数のキーワードを組み合わせることで、より具体的で詳細な画像を生成することが可能になります。

そして、試行錯誤を繰りかえすことが重要です。プロンプトを変えてさまざまな画像を生成し、その結果を分析しましょう。時間をかけて何度も試すことで、理想的な画像を生成する方法を見つけることができます。

「Stable Diffusion」は、まだ発展途上の技術です。ですから、初めて使う際には思い通りの画像を生成できない場合がありますが、何度も試行錯誤を繰りかえすことで、より理想的な画像をつくり出すことが可能になります。この新しい技術を使いこなし、あなた自身のクリエイティブな世界を拡げてみてください。

呪文プロンプトのキーワードの並べ方
——この順番で

「Stable Diffusion」できれいな絵をつくるための効果的なプロンプトのキーワードの並べ方をいくつかご紹介します。

1．全体像を示すキーワードから始めます。
2．詳細な部分を示すキーワードを追加します。
3．色や明るさなどを示すキーワードを追加します。
4．肯定的な言葉を使います。
5．具体的にイメージします。
6．試行錯誤を繰りかえします。

たとえば、「猫」を描きたい場合、以下のようなプロンプトのキーワードを並べることができます。

明るい部屋にいる、黒い猫。
猫は、毛並みがなめらかで、瞳はキラキラと輝いています。
猫は、ソファーでくつろいでいます。

プロンプトのキーワードを並べる順番を変えたり、追加したりすることで、よりきれいな絵を生成することができます。

「Stable Diffusion」は、まだ開発中のモデルです。そのため、思い通りの画像を生成できない場合があります。しかし、試行錯誤を繰りかえすことで、より良い画像を生成することができます。

●明るい部屋でくつろぐ黒い猫

masterpiece,best quality1,beautiful,(worst quality,low quality:1.4)(depth field),black cat in bright room,cat have smooth fur and bright eyes, upper body,the cat is relaxing on the sofa, from above, oilpainting style, happy, warm color,high,bright

Stable Diffusion Onlineで作成

プロンプトのキーワードの並べ方

1. まずは全体像を示すワードを入れる
2. 詳細な部分を示すワードを追加
3. 色・明るさなどを示すワードを追加

- 肯定的な言葉を使うようにしよう
- 完成された画像を具体的にイメージしてみよう

「Stable Diffusion」はまだ発展途上の技術

なかなか思い通りの画像にならないことも…

プロンプトの言葉を変えてみる、順番を入れ替えるなど試行錯誤し、最適な画像を作ってみよう！

絵をブラッシュアップする「呪文プロンプト」
――効果的なプロンプト

「Stable Diffusion」で絵をブラッシュアップする効果的なプロンプトは次の通りです。

絵のスタイルを指定します。たとえば、「"like a painting,"絵画のように」、「"like a photograph,"写真のように」、「"like an anime,"アニメのように」など。

絵の細部を指定します。たとえば、「"face of a person,"人物の顔」、「"mountain in a landscape,"風景の山」、「"apple of food,"食べ物のリンゴ」など。

絵の雰囲気を指定します。たとえば、「"bright,"明るい」、「"dark,"暗い」、「"fantastical,"幻想的な」、「"scary,"怖い」など。

絵の色を指定します。たとえば、「"red,"赤」、「"blue,"青」、「"green,"緑」、「"yellow,"黄色」など。

これらのプロンプトを組み合わせることで、より効果的な絵をブラッシュアップすることができます。たとえば、「絵画のように、人物の顔がはっきりと見える、明るい雰囲気の風景」というプロンプトでは、人物の顔がはっきりと見える、明るい雰囲気の風景をブラッシュアップすることができます。

また、プロンプトを複数回繰りかえすことで、より効果的な絵にブラッシュアップすることができます。たとえば、「絵画のように、人物の顔がはっきりと見える、明るい雰囲気の風景」というプロンプトを3回繰りかえすと、より人物の顔がはっきりと見える、より明るい雰囲気の風景ができます。

●あざやかな野菜

masterpiece,best quality1,beautiful,(worst quality,low quality:1.4)(depth field), brightly colored vegetables,full body , like a photograph, happy,warm color,high, bright

*Stable Diffusion Online*で作成

●写真のようなブドウ

masterpiece,best quality1,beautiful,(worst quality,low quality:1.4)(depth field),fresh fruit grapes on the table,full body,from above,like a photograph, oilpainting style, happy,warm color,high, bright

*Stable Diffusion Online*で作成

1回目作成

masterpiece,best quality1,scenery with a bright atmosphere face of a person

*Stable Diffusion Online*で作成

2回目作成

masterpiece,best quality1,scenery with a bright atmosphere face of a person

*Stable Diffusion Online*で作成

3回目作成

masterpiece,best quality1,scenery with a bright atmosphere face of a person

*Stable Diffusion Online*で作成

●海を泳ぐイルカ

masterpiece,best quality1, beautiful,dolphins swimming in the sea from above,oilpainting style, happy,warm color,high,bright

*Stable Diffusion Online*で作成

●港の豪華客船

masterpiece,best quality1,luxury liner in port, from above,oilpainting style,happy,warm color,high,bright

*Stable Diffusion Online*で作成

PART 3

知っておきたい！「Stable Diffusion」

なぜ「Stable Diffusion」なのか
——そのメリットとデメリット

「Stable Diffusion」のメリットは、より自然で高品質な画像を生成できることです。これは、画像の特徴を保ちながら、画像の周囲のピクセルを徐々に変化させることで画像を生成するため、不自然な部分が少なくなるからです。その結果、従来の手法よりも自然で高品質な画像を生成することが可能です。

また、処理速度が速く、リアルタイムで画像を生成することができるため、さまざまなアプリケーションに適しています。

さらに、学習済みのモデルを共有できるので、誰でも簡単に利用することができます。

一方、「Stable Diffusion」のデメリットは、大規模なデータセットでの学習が必要であるため、学習には時間がかかる点です。

また、学習済みのモデルが公開されていないため、独自のモデルを作成する場合には、プログラミングの知識が必要となります。

「Stable Diffusion」は、画像生成において新たな可能性をもたらす手法です。今後、研究が進むことでさらなる進化が期待され、さまざまなアプリケーションで利用されることでしょう。

●森の中の小鳥たち

masterpiece,best quality1,little birds in the forest from above,oilpainting style,happy,warm color,high,bright

Stable Diffusion Onlineで作成

「Stable Diffusion」に関する法規制
——遵守すべきポイント

「Stable Diffusion」は画像生成のためのAI技術で、まだ開発段階にあり、法的なルールづくりも完全には追いついていません。この技術を使う際には以下のポイントに注意してください。

著作権

「Stable Diffusion」で生成した画像は著作権に保護されています。他人の画像を許可なく使用すると著作権を侵害する可能性があります。

肖像権

他人の顔が写っている画像を「Stable Diffusion」で生成するときは、肖像権を侵害しないように注意が必要です。他人の顔を含む画像を使用する場合は、その人から許可を得る必要があります。

プライバシー権

「Stable Diffusion」で生成した画像に他人のプライベートな情報が含まれていると、プライバシー権の侵害になる可能性があります。他人のプライベート情報を使用する場合も、その人から許可を得る必要があります。

差別的表現

「Stable Diffusion」で生成した画像に差別的な表現が含まれていると、差別問題を引き起こす可能性があります。人種差別、宗教差別、性差別などを含む画像の公開は控えましょう。

公序良俗

公序良俗に反する内容の画像を「Stable Diffusion」で生成し公開すると、法律違反となる可能性があります。風俗営業法や児童買春・ポルノ禁止法などを遵守しましょう。

「Stable Diffusion」は発展途上であり、法的な整備がまだ完全ではないため、これらの法的規制を遵守することが重要です。

「Stable Diffusion」など
画像生成ＡＩを使用する際に
注意したい法的ルール

著作権

実在する作家や作品が無断でＡＩの学習に利用されることも。一方、ＡＩが作った画像は、人に危害を与えるような内容でなければ、自由に使用でき、商用利用も可能。

肖像権

ＡＩで作成した画像が実在する人物に似ている場合は？肖像権の侵害？

プライバシー権

作成された画像に、実在の人物に似ているものやプライバシーを侵害した内容が含まれる可能性がある。

差別的表現

学習したデータに、偏見・人権やジェンダーの偏りがある画像生成ＡＩが含まれており、差別や偏見を助長させてしまう可能性がある。

公序良俗

卑猥なもの、暴力的、他人が見て不快になるものはNG。

「Stable Diffusion」など急激に普及している画像生成ＡＩに関する法的ルールは、国によって異なる場合もあるので注意しよう。日本でもこれからより整備されていくはずだ。

使う人のモラルが大事！
広い知識・教養も必要！
常に意識して適切な言葉を使おう。

「Stable Diffusion」のいくつかの問題点
――注意すべきこと

生成AIのツールである「Stable Diffusion」は、古びた写真や水彩画、鉛筆画など、さまざまなスタイルの優れたビジュアルを生みだすことができます。その出来栄えはすばらしく、人間の能力を上回るほどです。

しかし、このような生成AIツールにはいくつかの問題が存在します。まず、法的なリスクが伴うことです。生成AIのプラットフォームは、データレイクと短い質問群で訓練されており、数十億のパラメータを持っています。このプロセスには知的財産の侵害などの法的な問題が発生する可能性があります。

具体的な問題としては、**生成AIによる創作物が著作権や特許権、商標権を侵害する可能性があること**があげられます。また、生成AIが作成するコンテンツの所有者が明確でない場合もあります。

このような問題に関しては、既存の法律が大きな影響を与えますが、現在はまだ解決途上にあります。裁判所は、生成AIの権利侵害や使用権の問題、AI生成作品の所有権の不透明性、ライセンスを受けていないコンテンツの使用などについて、どのように判断すべきか模索しています。

実際に、生成AIによる作品に関する訴訟もすでに起きています。アーティストたちが生成AIプラットフォームによって彼らの作品が無断で使用されたとして、共同訴訟を起こしています。もし、AIによる作品が無許可の二次的著作物であると裁判所が認めた場合、侵害に対する大きな罰則が科される可能性があります。

また、生成AIの訓練に使用されるデータレイクには、無許可の作品が含まれることも問題となっています。写真のライセンス供与サービスを提供するゲッティイメージズは、「Stable Diffusion」の開発者が同社の写真を不適切に使用し、著作権と商標権を侵害したとして、Stability AIを提訴しています。

これらの訴訟は、知的財産法における「二次的著作物」の定義やフェアユースの原則の解釈に関わる重要な判決となる可能性があります。テクノロジーと著作権法の衝突は以前からありましたが、今回の訴訟によってより明確化されることが期待されています。

生成AIの問題は単に法的なものだけでなく、テクノロジーと関係のない訴訟も存在します。写真家のリン・ゴールドスミスが故プリンスの画像のライセンスを巡ってアンディ・ウォーホル財団を相手に控訴している裁判も注目されています。この裁判では、変容的な使用の範囲や二次的著作物の審査などが問われることになります。

生成AIの発展と利用には、法的なリスクを理解し、適切な対策を講じる必要があります。企業や個人は、生成AIの使用に際して法的な問題に気を配り、適切なライセンスや許諾を取得することが重要です。

つくった絵の著者は誰？
——AIと著作権

人工知能（AI）が絵を描いたり、音楽をつくったり、文章を書いたりすることができるようになりましたね。でも、その絵や音楽や文章の著作権、つまりその作品の所有権は誰にあるのでしょうか？

その作品がAIのものといえるのか、それとも人間のものというべきなのか、その答えはまだ出ていません。

ある人たちは、「AIがつくったものも大切な作品だから、AIにも著作権をあげるべきだ」といいます。

でも、他の人たちは、「作品は人間がつくるものだけ。だから、AIに著作権はない」といいます。この問題について、正しい答えはまだ見つかっていません。

著作権とは何かを理解するために、まずはストーリーを考えてみましょう。たとえば、あなたがお母さんに「おやすみの前にお話をして！」とお願いしたとしましょう。お母さんは、あなたのために新しいお話を考えてくれました。このお話は、お母さんが考えたからお母さんのものですよね？

それと同じように、AIがつくった絵や音楽や文章の著作権は、大体の場合、AIを使って作品をつくるために命令をした人や組織に帰属します。なぜなら、AIはお母さんのように独自の思考を持っているわけではなく、人間がプログラムした指示に従って動くだけだからです。

だから、あなたがAIを使って素敵な絵を描いたら、その絵はあなたのものだと考えていいですよ。ただ知らず知らずのうちに著作権にふれているかもしれません。

特定の人物や名前やキャラクターなどを入れて作品をつくったらそれは著作権や肖像権にふれます。そうではなく知らず知らずのうちに他人の著作物をAIが模倣しているとしたら、これは問題です。しかし、これはとても複雑な問題で、国や地域によってルールが異なることもあります。そして、AIの進歩に伴ってこれらのルールも変わるかもしれません。

新しいテクノロジーが生まれたら、新しいルールも生まれることがありますから。

人が描いた絵か？
AIが描いた絵か？
――AIがつくった絵、どう見分ける？

AIが描いた絵と人間が描いた絵、見分けるのは難しくなってきました。

AIもだんだん上手に絵を描くようになり、人間と変わらないくらいになりました。

でも、AIが描いた絵には特徴的な模様やパターンがあることもあります。また、AIがもとにした絵があるなら、それと比べてみると、AIが描いたのかどうかわかることもあります。

「人が描いた絵とAIが描いた絵、どう見分けるのか？」

最近、AI（人工知能）が描いた絵が話題になっていますよね。AIは人間が指示しなくても、自分で学んで自分で描くことができます。その絵は、人が描いた絵と比べてどうなのでしょうか？

まず、大切なことは「すべてのAIが描いた絵が同じで、すべての人が描いた絵が同じだとは限らない」ということです。だから、100％確実に見分ける方法は存在しないのです。でも、何かしらの手がかりを見つけることは可能ですよ。

独自性と個性：人が描いた絵にはその人だけの個性が現れます。一方、AIはたくさんの絵から学習するので、その絵は学習した絵の「平均」のようなものになることが多いです。

感情の表現：絵には時々、描いた人の感情が反映されます。しかし、AIは感情を持っていませんので、感情の表現が少ないかもしれません。

一貫性：人が描く絵は、一つの絵の中に一貫性があります。しかし、AIはさまざまな絵から学んでいるため、絵の一部と他の部分が合わない場合があります。

過度な完璧さ：AIは数学的な正確さを追求するため、その絵は過度に完璧すぎるかもしれません。人の絵は完璧すぎないほうが自然に見えます。

しかし、これらのポイントすべてが必ずしも当てはまるわけではありません。AIは日々進化していて、人間のように絵を描くAIも増えてきています。だからこそ、AIの絵と人の絵を楽しみながら比べてみるのも面白いかもしれませんね。

結局のところ、人が描いた絵もAIが描いた絵も、どちらも美しく、私たちが感動するものであることに変わりはありません。未来の芸術界は、人間とAIが共に創造することで、ますますすばらしい作品が生まれてくるでしょう。私たちはそれを楽しみに待つことができますね。

ディープフェイク問題

ＡＩ生成画像の見分け方

ＡＩ生成がニガテなこと

＋ 細部の正確な描写

たとえば…
耳が４つ、目が極端に大きい、足が３本、などなどパッと見ただけではわからないが、細部を見ると不自然なところがある。

＋ 複数のオブジェクトの生成

「○○○○○○○○○○○の犬」など、1つのオブジェクトは得意だが、複数のオブジェクトになるとうまく生成できない。

＋ これから世の中に出てくるようなもの

過去に学習した情報をもとに生成されるため、データがないものに関しては生成することができない。

差別的な絵や問題のある絵、どう避ける？
——気をつけたいこと

AIは、学んだことをもとに絵を描きます。だから、学習する絵に悪い要素があると、AIが描く絵にもその悪い要素が出てくるかもしれません。だから、AIが学ぶ絵をきちんと選んで、悪いものがないか確認することが大切です。

そして、AIが描いた絵もチェックして、問題があったらすぐに対応することが必要です。また、人間がAIの絵を見て確認することで、問題のある絵が出てくるのを防ぐこともできます。

もちろん、誰もが誤って差別的な絵を描いたり、問題のある絵を描いてしまうことはありません。しかし、注意するポイントがいくつかあります。

リスペクト：他人や他の文化を尊重することがもっとも重要です。人々の見た目や出身地、信じていることなどを嘲笑う絵を描かないようにしましょう。

調査：描きたい主題について調査することも大切です。たとえば、ある国の人々や特定の文化について描きたい場合、その文化について学んでから描くことが大切です。

感謝の心：他の文化を描くときは、その文化への敬意を持って描くことが大切です。それがあなた自身の文化でなくても、それを尊重し、尊敬し、感謝の心を持つことが大切です。

フィードバックを求める：自分が描いた絵について、他人の意見を聞くことも重要です。とくに、描いたものが他人の文化や人々を表現している場合、その文化の人々に意見を求めることはとても有益です。

誤りを認める：誰でも間違いを犯すことがあります。間違いを認め、謝罪し、それを直すことで学ぶことができます。

これらのことを心に留めて、自分の絵を通じて他人や他の文化を尊重し、敬意を表すことができるといいですね。

●草原を走る馬

masterpiece,best quality1, beautiful,horse running in meadow, from above,oilpainting style,happy, warm color,bright

Stable Diffusion Onlineで作成

●登山をする人々

4k,masterpiece,best quality1, beautiful, (worst quality,low quality: 1.4)(depth field),people happily hiking in low mountains,full body , from above, oil painting style, happy,warm color,high,bright

Stable Diffusion Onlineで作成

PART 4

もっと活用！「Stable Diffusion」

クリエイターの「Stable Diffusion」活用法
——世界が広がる

新しいキャラクターや背景を考えたり、もうある画像を直したり変えたり、新たなデザインやアイデアを出したり、さらに新しい作品をつくったり……このようなことにも「Stable Diffusion」は使えます。

「Stable Diffusion」は、クリエイターにとって、新しいアイデアを具体的なカタチにするためのすごい道具なのです。説明文から画像をつくることができるため、クリエイターは自分の頭の中にあるアイデアをもっと簡単に実現できるわけです。自分の作品の可能性を広げることができます。

この先、どんどんクリエイターにとって大事な道具になってくると思われます。

「Stable Diffusion」というのは、ある種のAI、つまり人工知能の一種で、イラストや絵を自動的に生成することができます。それはクリエイターやイラストレーターが非常に役立つツールとなります。

新しいアイデアをカタチにする：「Stable Diffusion」は、あなたが書いた説明や要求に基づいて画像を生成します。これは、新しいキャラクターや場面、背景を考えるときに便利です。たとえば、「緑色の髪を持つロボット」を描きたいと思ったら、その説明をAIに入力します。するとAIは、あなたの要求に合わせて画像をつくります。

既存の作品を改善する：ある作品がすでにある場合でも、「Stable Diffusion」はそれを改良するのに役立ちます。たとえば、一部のキャラクターのデザインを変えたいときや、背景を変えたいときに使うことができます。

新たな視点を提供する：「Stable Diffusion」は、新しい視点を提供してくれます。AIは人間とは異なる視点を持っているので、思いもつかなかったようなアイデアを提供してくれます。これはクリエイティブなブロックを解除するのに役立ちます。

生産性を向上させる：「Stable Diffusion」を使うと、クリエイターは自分の時間をもっと効率的に使うことができます。AIが描画作業を手伝ってくれるので、クリエイターはアイデアを思いつくことや、ストーリーテリングに集中することができます。

AIの進化により、「Stable Diffusion」のようなツールはますます進化し、クリエイターやイラストレーターにとって重要なツールになるでしょう。これらのツールを使うことで、あなたのアイデアを実現し、アートワークをさらに向上させることができます。

●美味しそうなピザ

masterpiece,best quality1, beautiful, (worst quality,low quality: 1.4)(depth field),delicious looking pizza on the table,full body ,from above, oilpainting style, happy,warm color,high,bright,full body , from above, oilpainting style, happy,warm color,high,bright

Stable Diffusion Onlineで作成

ビジネスマンの「Stable Diffusion」活用法
——上手に付き合う方法

「Stable Diffusion」は、ビジネスパーソンが日々の業務を効率的に進めるための強力なツールとなります。これは、新製品やサービスのコンセプト開発、マーケティングのキャンペーン立案、ウェブや広告のデザイン要素作成、プレゼンテーション資料の作成など、多岐にわたるビジネス場面で活用可能です。

「Stable Diffusion」は、テキストからイメージを生成することが可能です。これにより、自分の頭の中にあるアイデアやビジョンを具現化しやすくなり、ビジネスパーソンの業務効率や成果を向上させることができます。

現時点ではまだ開発途中のツールですが、今後さらに改善が進むと期待され、その結果ビジネスパーソンにとって必要不可欠なツールとなるでしょう。

ただし、「Stable Diffusion」をビジネスの現場で活用するに当たり、いくつかの注意点があります。まず、「Stable Diffusion」はあくまでツールであり、すべてを依存するべきではなく、自己の判断力も重要です。

また、開発中のツールであるため、つねに正確なイメージを生成できるわけではない点に留意が必要です。さらに、法律、とくに著作権法に違反しないように利用することが求められます。

これらの注意を払いつつ、「Stable Diffusion」を活用しましょう。

「Stable Diffusion」は、ControlNetと呼ばれる機能によって、フレーミングの調整が簡単にできるAI画像生成ツールです。照明の調整やフィルターの設定が可能で、汎用性に優れたツールとして人気を集めています。

「Stable Diffusion」は、生成された画像に関する権利を主張しておらず、生成されたすべての画像の使用権をユーザーに与えています。資料や記事などで、自由に画像を使用できるのが魅力です。

「Stable Diffusion」、仕事にどう活かす？
――これで効率アップ

「Stable Diffusion」という画像生成AI技術は、その名が示す通り、ノイズの少ない安定した画像をつくり出すことが可能です。ここではその仕組みと、具体的にどのようにビジネスシーンで活用できるのかを見てみましょう。

従来の画像生成AI技術は、作成された画像にノイズが多く含まれることがしばしばあり、その結果、人間の目に自然に見えない画像が生成される場合がありました。

しかし、「Stable Diffusion」の技術の進化により、これが改善され、より自然で鮮明な画像を生成することができるようになりました。

この技術はまだ開発途上ですが、それが意味することは、我々がまだ見ぬ新しい可能性を秘めているということです。では、具体的に「Stable Diffusion」をどのように仕事に活用できるのでしょうか？

広告やマーケティング用画像の作成

「Stable Diffusion」を使えば、商品やサービスの特徴を視覚的に伝える画像、またはターゲットとなるユーザーの関心を引く画像を生成することが可能です。これにより、より効果的な広告やマーケティング戦略を実現することができます。

商品やサービスのデザイン

ユーザーの好みに応じたデザインをつくり出したり、従来の手法では思いつかなかったような斬新なデザインを創出するためにも、「Stable Diffusion」は有効です。

ゲームや映画の制作

ゲームの背景やキャラクター、映画の一幕など、さまざまなシーンのビジュアル制作に「Stable Diffusion」は役立ちます。その結果、より鮮やかでリアルなビジュアル体験を提供することができます。

教育や研究

教育現場で用いる視覚教材の作成や、研究で利用するイラストの生成にも「Stable Diffusion」は使われます。これにより、理解を深めるための視覚的な補助や、新しい視点での研究開発が可能になります。

「Stable Diffusion」は、まだ開発途上でありながらも、これまでにない新しい表現や体験を実現します。これらの具体的な利用例からも、その可能性の一端が伝わるでしょう。今後も「Stable Diffusion」の進化に注目し、自分の仕事にどう活用できるか考えてみてください。

●水彩画風ハンバーガーとポテト

16K,high quality,best,Hamburger and fries in a watercolor style.

Mage.Spaceで作成

「Stable Diffusion」を仕事に使ってみよう！

広告やマーケティング用画像の作成

ゲーム・映画など映像作品の制作

商品やサービスのデザイン

教育・研究現場

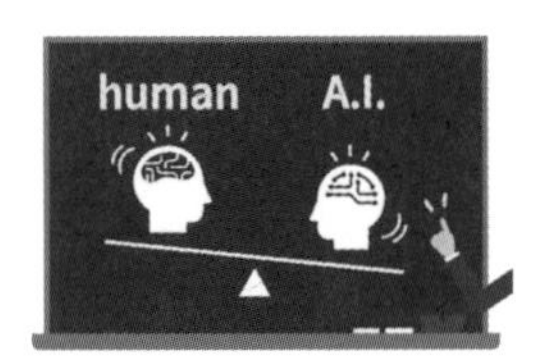

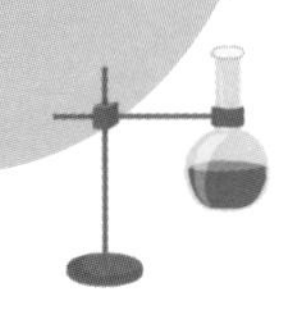

ビジネス資料に「Stable Diffusion」を使う！
——具体的な方法

プレゼンテーション資料、社内報、ウェブサイト、パンフレット。

これら各種資料に「Stable Diffusion」を用いることで、見やすく魅力的な内容を制作することができます。たとえば、プレゼンテーションでは、「Stable Diffusion」で生成した画像を活用し、製品やサービスの特徴を視覚的に伝えることができます。社内報では、同様に生成した画像を使い、社員のモチベーションを高めます。ウェブサイトやパンフレットでも、製品やサービスの魅力を可視化し、見る人の興味を引くことが可能です。

「Stable Diffusion」は進行中の開発プロジェクトで、その可能性はこれからも広がり続けることが期待されています。ビジネス資料への活用は、前例のない新しい表現や体験を提供する機会となります。

具体的な例を以下にあげます。

プレゼンテーション資料

「Stable Diffusion」で生成した画像を用いて、製品やサービスの特徴を具体的に伝えることができます。製品のパッケージや使用シーンの画像などを通じて、視覚的な理解を深めることができます。

社内報

社員の活躍をビジュアル化したり、コミュニケーションの活性化に寄与したりすることが可能です。

ウェブサイト

製品やサービスの魅力的な画像を掲載することで、ユーザーの興味を引き、ウェブサイトのデザインを強化することができます。

パンフレット

製品やサービスの特徴を視覚的に示すことで、ユーザーに具体的なイメージを提供し、パンフレット全体のデザインを魅力的にすることができます。

ビジネス文書作りに「Stable Diffusion」を使ってみよう！

プレゼンテーション資料

サービス・製品の
特長を、
より具体的に
可視化できる。

社内報

社員の活躍を
ビジュアル化。
コミュニケーション
向上にもつながる。

パンフレット

サービスや製品の
特長をわかりやすく
視覚的に訴えること
が可能に。

ウェブサイト

製品やサービスの
画像を掲載。
デザインも
より魅力的に。

「Stable Diffusion」を使うことで、
より魅力的な内容に！

「Stable Diffusion」は無料で利用できる！
——手軽に絵を描こう！

あなたがアートに興味があるなら、美しい絵を描くのに必要なのは、高価なブラシやキャンバスではなく、「Stable Diffusion」という画像生成AIだけです。その最大の魅力は、なんといっても無料で利用できることですが、その背景にはオープンソースという特性があります。

オープンソースとは、そのソフトウェアの源泉となるコードが公開されており、誰でも自由に改変や再配布が可能なものを指します。「Stable Diffusion」はこのオープンソースのソフトウェアであるため、開発者やユーザーは自由にそれを改良や拡張し、さらに優れたツールへと進化させることが可能です。

また、「Stable Diffusion」は現在も開発途上にあるソフトウェアです。無料で提供することで、多くのユーザーに利用されることを期待し、その一方で企業やクリエイターなどから有料のサポートやライセンス契約を得ることで開発費を回収するという戦略も見られます。

無料で使える画像生成AIとして「Stable Diffusion」は、多くのユーザーから注目を集めています。そして、その普及により、誰でも手軽に高品質な画像を生成でき、クリエイティブな表現の可能性が広がるでしょう。AIのパワーを手に、あなたも新たな世界を体験してみませんか？　無料で利用できるこのチャンスを、ぜひお見逃しなく！

「Stable Diffusion」で作成した画像を商用で使用する場合の注意点

画像の作成に使用したツールやプログラムの著作権を遵守する必要があります。

画像に使用されている人物やオブジェクトの肖像権や著作権を侵害しないようにする必要があります。

画像を商用利用する場合は、画像の作成者に許可を得る必要があります。

「Stable Diffusion」は、まだ開発途上にあるため、画像の商用利用に関するガイドラインが明確に定められていない場合があります。そのため、画像を商用利用する場合は、画像の作成者に直接確認することをおすすめします。

「Stable Diffusion」が大人気の理由！

——さらに進化する技術に期待！

「Stable Diffusion」の可能性は大きく、今後も多くのユーザーから注目を集めていくでしょう。

「Stable Diffusion」で生成された画像は、非常に精細で、人間が描いた絵と見分けがつかないほどです。また、「Stable Diffusion」は無料で使用することができ、誰でも簡単に高品質な画像を生成することができます。さらに、「Stable Diffusion」は使いやすく、初心者でも簡単に操作することができます。

「Stable Diffusion」は、画像生成AIとして、大きな可能性を秘めています。今後も多くのユーザーから注目を集め、その技術はさらに進化していくでしょう。

「Stable Diffusion」をもっと活用するために
――3つのサイト

「Stable Diffusion」っていうのは、AIが画像を生成するための技術の一つです。それが、「DeepArt」や「RunwayML ArtBreeder」というサービスととても相性が良いんですよ。

それぞれのサービスは何をするのかというと、テキストから画像をつくり出す、という驚くべきことをやっています。だから、「Stable Diffusion」でつくった画像を更にこれらのサービスで改良したり、手直しすることも可能なんです。

「DeepArt」っていうのは、写真や画像に絵画みたいな雰囲気を付けることができるサービスなんです。「Stable Diffusion」でつくった画像を「DeepArt」で処理すると、まるで絵画のような美しい仕上がりになります。

次に、「RunwayML ArtBreeder」も同じように、テキストから画像をつくることができるサービスです。「Stable Diffusion」といっしょに使えば、テキストをもとにした、絵画のような画像をつくることができますよ。

「RunwayML ArtBreeder」のすごいところは、とても複雑なテキストでも、それを美しい画像に変換する能力があることです。そして、なんといってもこのサービス、無料で使えちゃうんです。

とはいえ、「Stable Diffusion」がうまく合うサービスはこれらだけではないんです。テキストから画像をつくる他のAIサービスもたくさんありますから、いろいろと試してみるといいですよ。新しい発見があるかもしれませんよ！

●木の実を食べるリスたち

4k,masterpiece,best quality1, beautiful, (worst quality,low quality: 1.4)(depth field),squirrels eating nuts in the forest ,full body , from side, oil painting style, happy,warm color,high,bright

*Stable Diffusion Online*で作成

「LoRA」という技術
——鮮明な絵をつくる

「Stable Diffusion」は、言葉からイラストを生成するツールですが、ただし、プロンプト（言葉）だけでキャラクターや人物を精緻に描くのは、難易度が高く難しいことがあります。

そこで使われるのが「LoRA」という技術です。「LoRA」は特定の人物の特徴を学習し、記憶させます。たとえば、猫の特徴を学習させた「LoRA」のデータがあれば、それをもとに猫のイラストをうまく描くことができるようになります。

「LoRA」を利用するもっともすばらしい点は、もとの特徴のよさを維持したまま、新たに学習した要素を描くことができるという点です。それにより、動物の特徴を実写やCGのイラストで描くことも可能になります。

さらに、「LoRA」は複数組み合わせて使用することができます。したがって、好きな動物に特定の服装をさせたり、特定のポーズを取らせたりしてイラストを描くこともできます。

「LoRA」を活用するためには、「LoRA」のデータを「Stable Diffusion」で読み込むことを可能にしなければなりません。「LoRA」のデータは、自分で作成することも可能であり、またすでに用意されているものを利用することも可能です。

さまざまな「LoRA」がインターネット上で無料で提供されているので、自分に合ったものを見つけることができます。

「LoRA」は、「Stable Diffusion」のイラストがよりうまく描けるようにする強力なツールです。「LoRA」を使用すると、より美麗で、自己の好みに合ったイラストを描くことが可能になります。

「LoRA」を利用するための導入方法は簡単です。以下の手順を実行します。

「Civitai」または「Hugging Face」という2つのウェブサイトから「LoRA」をダウンロードします。どちらのサイトも完全に無料で利用できます。

ダウンロードしたファイルを特定のフォルダに保存します。

「Stable Diffusion」の画面に移動します。すでに起動している場合はそのまま使用できます。

必要に応じて、「LoRA」のトリガーワード（特定のキーワード）を確認します。「LoRA」のダウンロードページに記載されています。メモを取ることをおすすめします。

「Stable Diffusion」の画面で「LoRA」タブを開きます。利用可能な「LoRA」が表示されます。

使用したい「LoRA」を選択し、プロンプト欄に適切なコード（例：lora:gakkou-00008:1）を入力します。このコードは「LoRA」を適用することを示します。

生成したいイラストの特性に応じて、他のプロンプトも入力することができます。

「Generate」ボタンをクリックしてイラストを生成します。

「LoRA」は生成モデルとの相性もあるため、うまくいかない場合は別のモデルを試すこともできます。アニメ系のモデルとリアル系のモデルでは効果が異なることがあります。

「LoRA」の利点は、既存のモデルを微調整することで、簡単に目的のイラストを生成できる点です。ぜひ試してみてください。

ただし、すでにあるキャラクターや有名人の写真やイラストを使用することは避けたほうがよいでしょう。公開あるいは販売することで著作権や肖像権を侵害する可能性があります。

版権キャラクターや有名人などの再現には注意が必要です。これらのイラストを生成して公開・販売すると、著作権や肖像権を侵害する可能性があるため、法令を遵守して使用する必要があります。

コントロールネットワーク1.1の活用

——画像処理をする

この項目では、コントロールネットワークについて説明します。コントロールネットワークは、画像の特定の部分を微調整するためのニューラルネットワークです。つまり、画像の一部を変更しつつも、全体の特徴を保ったまま変化させることができるのです。

コントロールネットワークを利用するためには、まずトレーニングが必要です。画像と望ましい出力を与えて、コントロールネットワークをトレーニングします。トレーニングが完了すると、コントロールネットワークは画像の特定の部分を微調整するために利用できるようになります。

コントロールネットワークは、画像の微調整に非常に効果的な手法です。これにより、画像の特定の部分を変更しながらも、全体の特徴を保つことができます。

「Stable Diffusion」は、画像生成の手法の一つです。この手法では、コントロールネットワークを使用して画像の特定の部分を微調整することが可能です。たとえば、コントロールネットワークを使って背景を変更したり、人物の表情を変えたりすることができます。

「Stable Diffusion」においても、コントロールネットワークを使用して画像の特定の部分を微調整することができます。ControlNet1.1は、「Stable Diffusion」の拡張機能の一つで、参照用の画像からポーズや構図を抽出し、その情報と使用者が与えたプロンプトを組み合わせて画像を生成するためのモデルです。これにより、ポーズを自由かつ柔軟に指定することが可能となりました。ControlNet 1.1は、旧版のControlNet（ControlNet1.0）を改良したものであり、V1.0のモデルを含んでおり、さらに新しいモデルの追加もおこなわれています。

（2023年7月現在）

PART 5

「Stable Diffusion」の
これから！

「Stable Diffusion」はいつから公開されたのか——2022年8月からスタート！

「Stable Diffusion」という画像生成AIは、2022年8月に公開され、その新しいアプローチで注目を集めました。このAIは「潜在拡散モデル」なるアルゴリズムを用いており、原始的なノイズからはじめて徐々にそれを取り除き、最終的には具体的な画像をつくり出すという方法を採用しています。

その一環として、「VAE」という技術を用いて画像をより単純な潜在表現に変換し、また「U-Net」というモデルを使用して生成される画像を制御しています。

公開直後から、「Stable Diffusion」はその優れた画像生成能力によって評価を受けました。このAIによってつくられた画像は、その精密さから人間が描いたものと区別がつかないほどで、多くのクリエイターやアーティストから好意的に受け入れられています。

現在もまだ開発が進行中の「Stable Diffusion」では、

今後のさらなる改善が期待されています。このAIが広く普及すれば、誰でも手軽に高品質な画像を生成することが可能になり、新たなクリエイティブな表現が広がるでしょう。

「Stable Diffusion」公開は、画像生成AIの世界に大きな変化をもたらしました。それは画像生成AIの新たな可能性を開き、クリエイティブな表現の新たな道を開く画期的な技術といえるでしょう。

●湖畔に立つ家

high quality, A small house standing by a lake in a quiet forest, in black and white.

Mage.Spaceで作成

「Stable Diffusion」の3つの特徴
——「DALL-E」や「Midjourney」を超える秘密！

あなたが美術の達人でなくても、AIの力を借りれば誰でも美しい絵を描くことができます。その名も「Stable Diffusion」、これは画像生成AIの世界で新たなスタンダードとなる革新的なツールです。

先進の技術を詰め込んだ「Stable Diffusion」には、他の画像生成AI、たとえば「DALL-E」や「Midjourney」を凌駕する、3つの大きな特徴があります。それは、生成する画像の品質が高いこと、創造性に富んだ画像がつくれること、そして何より使いやすいということです。

「Stable Diffusion」が品質の高い画像を生成する秘密は、「潜在拡散モデル」というアルゴリズムにあります。このアルゴリズムは、「DALL-E」や「Midjourney」が使う生成対抗ネットワークよりも精度が高く、その結果、生み出される画像は人間が描いた絵と見分けがつかないほどに精巧です。

さらに、「Stable Diffusion」は非常に創造的な画像を生成できます。画像の生成にテキストの説明だけでなく、画像のスタイルやコンポジションなどの情報も使えて、より独創的で魅力的な画像がつくれるのです。

また、使いやすさにおいても「Stable Diffusion」は一歩先を行きます。このツールは、Webブラウザ上で使用できるため、特別なソフトウェアをインストールする必要がありません。これにより、誰でも気軽にこのツールを使用し、自身のクリエイティブなアイデアを絵にすることが可能になります。

これらの特性から、「Stable Diffusion」は「DALL-E」や「Midjourney」を超える、優れた画像生成AIといえるでしょう。あなたも「Stable Diffusion」を使って、自分だけの美しい絵を描いてみてはいかがでしょうか？

AIの力で、新たな芸術の扉を開いてみませんか？

「GAN」、「VAE」、「Stable Diffusion」
――3つの代表的な「アルゴリズム」

「ニューラルネットワーク」と「機械学習」は、コンピュータが人間のように学習して何かを理解したり、新しいことを創り出す能力を持つようにするための技術のことです。つまり、人間がおこなうような思考をコンピュータが模倣することで、さまざまな問題を解決するのに役立ちます。

一方、「アルゴリズム」は、問題を解決するための手順や手続きのことを指します。料理レシピのように、特定の順序で一連の手順を追うことで、目的の結果を得ることができます。

それでは、次に「GAN」、「VAE」、「Stable Diffusion」とは何かを簡単に説明します。

「GAN」(Generative Adversarial Network):「GAN」は、ふたりの子どもが「だまし合いゲーム」をするようなものと考えるとわかりやすいでしょう。ひとりの子ども（生成器）が、できるだけ本物そっくりな絵を描くことを目指します。もうひとりの子ども（識別器）は、その絵が本物か偽物かを見分けることを目指します。このゲームを繰りかえすことで、生成器はどんどん本物に近い絵を描けるようになり、識別器は本物と偽物を見分けるスキルが向上します。

「VAE」(Variational Autoencoder)：「VAE」は、おもちゃの組み立てキットのようなものと考えてみてください。もとのおもちゃ（画像）をバラバラに解体し（エンコード）、それを元通りに再組立て（デコード）するプロセスを行います。ただし、もとのおもちゃとまったく同じにはならないため、結果のおもちゃはもとのおもちゃと似ていますが、完全に同じではありません。

「Stable Diffusion」：「Stable Diffusion」は、砂絵のようなものと考えてみてください。最初は一面に砂（ノイズ）が広がっていますが、時間をかけてその砂を少しずつ取り除き、最終的に美しい絵（画像）が現れます。このプロセスを繰りかえすことで、もとの絵に近い美しい砂絵をつくり出すことができます。

以上のように、これらのアルゴリズムはそれぞれ異なる「レシピ」や「手順」を使って、コンピュータに新しい画像を生成させる方法を教えています。どの手法を選ぶべきかは、何を目指しているか、何をもっとも大切にしたいかによります。

●水彩画風のフラミンゴ

16K,high quality,best,beautiful flamingo in watercolor style.

Mage.Spaceで作成

「Stable Diffusion」の未来は、どうなる？
――画像生成ＡＩのこれから

「Stable Diffusion」は絵を描くAIの一つです。まだまだ成長途中で、これからもっともっとすごくなると思われています。ここからは、これからの「Stable Diffusion」がどんな風に進化をするかをお教えします。

今はまだ「Stable Diffusion」は成長途中ですが、これからもっと上手に絵が描けるようになります。さらにいろいろな種類の絵も描けるようになり、さらに簡単に使えるようになると思われます。

そして、これからの私たちの生活をもっと楽しく、便利にしてくれる可能性があります。たとえば、学校では、わかりやすい教材をつくり、研究では新しい製品やサービスを開発することに使えます。マーケティングでは、さらに効果的な広告を作成し、エンターテインメントでは新しいゲームや映画をつくることに使えます。

　このように「Stable Diffusion」はこれからも成長し続けて、私たちの生活にもっと楽しさと便利さをもたらしてくれると思います。

●浜辺を散歩するカップル

high quality Happy man and woman couple walking along the beach in the daytime. like an oil painting. distant view. in black and white.

Mage.Spaceで作成

付　録

自由に絵をつくる「プロンプト」集!

同じプロンプトを打っても生成される絵はその度、変わります。

●雪の結晶と女の子

anime style,ultra-high-resolution illustrations,super fine illustration,snowflakes shiny skin,detailed skin,detailed face,detailed eyes,an extremely cute and beautiful girl,cowboy shot,beautiful face,

Stable Diffusion 2-1 - a Hugging Face Space by stabilityaiで作成

●雪の結晶と女の子

anime style,ultra-high-resolution illustrations,super fine illustration,snowflakes shiny skin,detailed skin,detailed face, detailed eyes,an extremely cute and beautiful girl,cowboy shot, beautiful face.

Stable Diffusion 2-1 - a Hugging Face Space by stabilityaiで作成

●本を読む女の子

worst quality,low quality:2,anime style ultra-high-resolution illustrations super fine illustration,Cute girl with big eyes with short hair reading a book in the twilight,painting,sketch,flat color

Stable Diffusion 2-1 - a Hugging Face Space by stabilityaiで作成

●ろうそくと女の子

worst quality,low quality:2,anime style ultra-high-resolution illustrations, Tears fill the eyes of a beautiful girl lighting a candle Quiet street corner on a snowy night,painting,sketch,flat color

(Stable Diffusion 2-1 - a Hugging Face Space by stabilityaiで作成)

●カウボーイスタイルの女の子

anime style,ultra-high-resolution illustrations,super fine illustration,snowflakes shiny skin,detailed skin,detailed face,detailed eyes,an extremely cute and beautiful girl,cowboy shot,beautiful face

Stable Diffusion 2-1 - a Hugging Face Space by stabilityaiで作成

●ろうそくと女の子

worst quality,low quality:2,anime style, ultra-high-resolution illustrations、Tears fill the eyes of a beautiful girl lighting a candle quiet street corner on a snowy night,painting,sketch,flat color

Stable Diffusion 2-1 - a Hugging Face Space by stabilityaiで作成

●アニメ風の女の子

16K,high quality,best,Little girl in Japanese anime style. in black and white.

Mage.Spaceで作成

●アニメ風の女の子

16K,high quality,best,Little girl in Japanese anime style. in black and white.

Mage.Spaceで作成

●アニメ風の少年

high quality,Japanese anime style, boy, in black and white.

Mage.Spaceで作成

●アニメ風の少年

high quality,Japanese anime style, boy, in black and white.

Mage.Spaceで作成

●油絵風のバラ

16k,high quality,A beautiful rose flower painted in oil. in black and white.

Mage.Spaceで作成

●水彩風のバラ

16k,high quality,A beautiful rose flower painted in watercolor. in black and white.

Mage.Spaceで作成

●アニメ風のバラ

16k,high quality,Beautiful rose flower in anime style. in black and white.

Mage.Spaceで作成

●写真のようなバラ

16k,high quality,A beautiful rose flower like a picture.in black and white.

Mage.Spaceで作成

●砂漠でラクダに乗る人々

high quality,People riding camels in the desert. in black and white.

Mage.Spaceで作成

●スポーツカー

high quality,sports car, in black and white.

Mage.Spaceで作成

●日本の寺

16K,high quality,best,Japanese temple, in black and white.

Mage.Spaceで作成

●プラネタリウム

high quality,planetarium,in black and white

*Mage.Space*で作成

●ベートーヴェンの絵

16K,high quality,best,Beethoven painting. in black and white.

Mage.Spaceで作成

●カウボーイハットの女の子

worst quality,low quality:2,super fine illustration,shiny skin,detailed skin,detailed face,detailed eyes,an extremely cute and beautiful girl,cowboy shot,beautiful face,painting,sketch,flat color

Stable Diffusion Onlineで作成

●雪の中の女の子

worst quality,low quality:2,anime style ultra-high-resolution illustrations、Tears fill the eyes of a beautiful girl lighting a candle quiet street corner on a snowy night,painting,sketch,flat color

Mage.Spaceで作成

●あくびをする犬

The face of a big dog with a big yawn. in a black and white image.

Mage.Spaceで作成

●スーツを着た男性の後ろ姿

A full body back view of a young man in a suit. in black and white.

Mage.Spaceで作成

●おしゃれなカフェの外観

high quality Illustration from the front of a bright and spacious stylish cafe. li an oil painting. in black and white.

Mage.Spaceで作成

●ビーチリゾートの風景

Blue sea, big sky and big clouds. Palm tree. A landscape like Hawaii in the United States. in black and white.

Mage.Spaceで作成

●ピクニックを楽しむ家族

high quality,A back view of a family enjoying a picnic in a large park. in illustration. Distant view. in black and white.

Mage.Spaceで作成

●ヨーロッパ風の中世の城

Medieval castle in monotone style Europe.

Mage.Spaceで作成

●海を泳ぐ魚

high quality Fish swimming in the beautiful sea. in black and white.

Mage.Spaceで作成

●南極のペンギンたち

high quality Penguins in Antarctica. in black and white.

Mage.Spaceで作成

AIで好きな絵をつくる!「Stable Diffusion」

魔法の言葉、呪文（プロンプト）が満載！「画像生成AI」超入門

2023年9月15日　初版第1刷発行

著　者　生成AI研究会

発行者　笹田大治

発行所　株式会社興陽館

〒113-0024　東京都文京区西片1-17-8　KSビル
TEL 03-5840-7820　FAX 03-5840-7954
URL https://www.koyokan.co.jp

装　丁　長坂勇司（nagasaka design）

図作成　吉良久美

校　正　結城靖博

編集補助　伊藤桂　飯島和歌子

編集人　本田道生

印　刷　惠友印刷株式会社

D T P　有限会社天龍社

製　本　ナショナル製本協同組合

Printed in Japan
ISBN978-4-87723-316-7 C0095

GPT4に聞いた「ChatGPT」

世界一わかる超入門100

興陽館編集部＋AI

本体 1,200円+税
ISBN978-4-87723-312-9 C0095

話題の「ChatGPT」の使い方について GPT4 に聞いてみました。
「ChatGPT」について網羅的に質問、その内容を、そのまま記載。質問（プロンプト）の効果的な方法についてわかりやすく解説。AI 自身が書いた、「ChatGPT」のすべて。